TOKYO
LA VILLE EN UN REGARD

Naka Meguro
Un heureux mélange de boutiques, de
et de magasins vintage ponctue une ru
plantée de cerisiers au bord de la riviè
de Meguro.

Ebisu
Un quartier en plein essor, entre de petites
boutiques et des cafés d'un côté et la
miniville de Garden Place de l'autre.

Atago Green Hills
La Forest Tower, œuvre de Cesar Pelli,
est un immeuble résidentiel de 42 étages
et 354 appartements. Le complexe
d'Atago Green Hills, comme celui de
Roppongi Hills, est une réalisation de
Mori Building.

Shibuya
Ne manquez pas le phénoménal Tokyu
Hands, sept étages où l'on vend de tout,
depuis la papeterie jusqu'à un choix
invraisemblable de pinces à linge.
12-18 Udagawa-cho, Shibuya-ku,
T 03 34 76 54 61

Roppongi Hills
Après un soin exfoliant chez Adam & Eve
(voir p 092), passez un moment au musée
juché sur la Mori Tower (voir p 012).

Meiji Jingu
Ce célèbre temple shintoïste a été rebâti
en 1958, le bâtiment d'origine ayant brûlé
au cours de la Seconde Guerre mondiale.
www.meijijingu.or.jp

Shinjuku
Le centre de la capitale, aussi riche en
gratte-ciel qu'en hydrocarbures, abrite
la plus grande gare du monde.

INTRODUCTION

LES MUTATIONS DU PAYSAGE URBAIN

Tokyo est une ville irréprochable : le plus petit bar à yakitoris, le plus misérable salon de coiffure de Shinjuku, tout est d'une propreté absolue, et l'on emballe avec soin la plus insignifiante de vos emplettes. Le tissu urbain, lui, a été tristement laissé de côté. Le paysage tokyoïte ne prend vie que le soir. Les étendues bétonnées se muent alors en océan de néons et les phares des voitures métamorphosent les voies rapides en rubans de lumière suspendus. De jour, Tokyo ne donne à voir que des kilomètres d'immeubles poussiéreux et de câbles électriques enchevêtrés. On peut être choqué par la flamme dorée dont Philippe Starck a coiffé le siège des brasseries Asahi (1-23-1 Azumabashi, T 03 56 08 53 81), au bord de la Sumida. Sa construction n'aurait jamais été autorisée, par exemple, sur les quais de la Seine.

La même frénésie semble actuellement s'emparer de tous les aspects de la culture. La mode fait ou défait les discothèques et les bars avec une rapidité qui laisse Paris ou New York loin derrière. La ville de Tokyo séduit tout autant par ce qu'elle a de plus japonais. L'arrangement des urnes rustiques en céramique qui couronnent le Mingeikan Folk Crafts Museum (4-3-33 Komaba, T 03 34 67 45 27), est un véritable chef-d'œuvre. Ce côté traditionnel fait autant partie de la vie de cette ville que les petites rockeuses affublées de pistolets en plastique qui s'agitent sur les tables. C'est cela, Tokyo, outre tout ce qu'il vous reste à découvrir…

INFORMATIONS ESSENTIELLES
DONNÉES, CHIFFRES ET ADRESSES UTILES

OFFICE DU TOURISME
Tokyo Kotsu Kaikan Building, 10e étage
2-10-1 Yurakucho, Chiyoda-ku
T 03 32 01 33 31
www.jnto.go.jp

TRANSPORTS
Location de voitures
Hertz, *T 012 048 98 82*
Mazda Rent-A-Lease, *T 03 52 86 07 40*
Transports en commun
www.tokyometro.jp
Train Express pour Narita
www.jreast.co.jp
Taxis
Tokyo MK, *T 03 55 47 55 51*
Kokusai Kotsu Taxi
T 03 39 01 11 11

URGENCES
Ambulances
T 119
Police
T 110
Pharmacie ouverte 24 h sur 24
The American Pharmacy
2-4-2 Marunouchi, T 03 52 20 77 16

CONSULATS
France
11/44 Chome Minami Azabu, Minato-ku
T 03 54 20 88 00
www.ambafrance-jp.org
Belgique
Nibancho, Chiyoda-ku
T 03 32 62 01 91 / 5
Tokyo@diplobel.org
Suisse
5-9-12 Minami Azabu
Minato-ku
T 03 34 73 01 21
www.eda.admin.ch/tokyo

Canada
7-3-38 Akasaka, Minato-ku
T 03 54 12 62 00
www.dfait-maeci.gc.ca/asia/main/
japan/tokyo

ARGENT
American Express
2-5-1 Yurakucho, Chiyoda-ku
T 03 32 86 56 20
www.americanexpress.com

SERVICES POSTAUX
Poste
5-14 Shinsuna 3-chome, Koto-ku
T 03 56 65 41 30
Colis
UPS, *T 120 27 10 40, www.ups.com*

LECTURES
Fruits de Shoichi Aoki (Phaidon)
Histoire du Japon et des Japonais de
E. O. Reischauer (Points Seuil)
Vivre au Japon de Reto Guntli, Alex Kerr
et Kathy Arlyn Sokol (Taschen)

SITES INTERNET
Architecture
www.japan-architect.co.jp
Art / Design
www.pingmag.jp
Presse
www.tokyo.to
www.japantimes.co.jp

COÛT DE LA VIE
Taxi de l'aéroport
de Narita au centre 205 €
Cappuccino 3,40 €
Paquet de cigarettes 1,70 €
Journal 1 €
Bouteille de champagne 65 €

TOKYO
Superficie
2187 km²
Population
12,5 millions d'habitants
Monnaie : yen
100 ¥ = 0,68 € = 0,95 CAD = 1,10 CHF
Indicatifs téléphoniques
Japon : 81 / Tokyo : 03
(sans le 0 depuis l'étranger)
Fuseau horaire
GMT +9

JAPON
Tokyo
Pékin
Shanghai
Hong Kong
Bangkok

MOYENNE DES TEMPÉRATURES MAXIMALES / °C

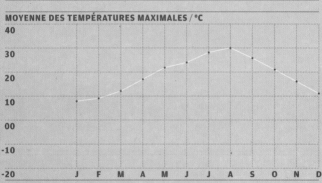

MOYENNE DES PRÉCIPITATIONS / MM

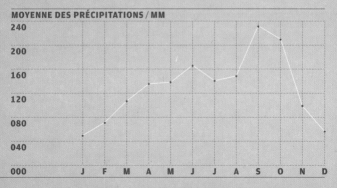

LES QUARTIERS
LES LIEUX À NE PAS MANQUER

Afin que vous puissiez vous y retrouver, nous avons choisi les quartiers les plus intéressants (voir le plan sur le rabat intérieur) et souligné par des couleurs les principaux lieux en fonction de leur emplacement (voir ci-dessous). Les lieux situés hors de ces quartiers ne sont pas colorés.

ASAKUSA

Au nord-est du centre, c'est le cœur de Shitamachi, la vieille ville. Arrosé par la Sumida bordée de cerisiers, il abrite un célèbre temple, le Senso-ji, et il a conservé le charme de l'époque Edo, avec ses éventaires, ses *jinrikisha* (pousse-pousse) et ses festivités.

EBISU ET MEGURO

Pour quitter la foule, les néons et le bruit, les gens dans le coup regagnent Ebisu, labyrinthe où cafés et boutiques de mode voisinent avec un excellent disquaire, Bonjour Records (T 03 54 58 60 20). C'est à Meguro que l'intelligentsia vient dévaliser fripiers et bouquinistes.

GINZA ET SHIODOME

Qui dit shopping dit Ginza, où chaque boutique surpasse l'autre. Il faut visiter la cage de verre conçue pour Hermès par Renzo Piano, l'immeuble Dior tout illuminé de fibres de verre (voir p 058) ainsi que le majestueux Ginza Wako. Quant à Shiodome, c'est le domaine des gratte-ciel, postérieurs à l'an 2000 pour la plupart.

AOYAMA ET HARAJUKU

Le Jingubashi (pont du Temple), près du temple de Meiji Jingu, résume le mélange du neuf et de l'ancien : les jeunes filles d'Harajuku viennent y jouer de la J-pop. Non loin s'élève Omotesando Hills, merveille due à Tadao Ando (voir p 077).

SHIBUYA

C'est le rendez-vous de la jeunesse, où sévissent les modes *gyaru* (vous savez, Paris Hilton et ses trois semaines d'UV) et *gyaruo* (pour les garçons) et de soi-disant lycéennes en minijupe taille XXS et tee-shirt moulant. Les ruelles de traverse regorgent de bars.

SHINJUKU

Shinjuku concentre tout ce que Tokyo peut offrir. Pour la mode, allez à Isetan, pour l'architecture au Park Hyatt (voir p 024), l'hôtel de *Lost in Translation*, et pour vous encanailler à Kabuki-Cho, le quartier chaud des boîtes, des bars et des lanternes rouges.

MARUNOUCHI ET NIHONBASHI

À Nihonbashi, on trouve le Nihonbashi, un pont de pierre bien mal entretenu qui sert à mesurer les distances depuis Tokyo. C'est aussi le siège de la Bourse et des grands magasins Mitsukoshi. Marunouchi accueille la spectaculaire gare centrale, inspirée de celle d'Amsterdam.

UENO

Ueno abrite de beaux musées et le plus ancien parc de la ville. Descendre la rue Ameyoko revient à remonter le temps. On y vend de tout, du poisson aux meubles, et les commerçants sont redoutables. Attendez-vous à repartir plus chargé que prévu.

POINTS DE REPÈRE

PHYSIONOMIE DE LA VILLE

Chaque quartier de Tokyo a son style : les ados vont à Shibuya, les fans de mangas et d'électronique à Akihabara, les élégantes à Ginza pour ses grands magasins, ses boutiques de kimonos, de cadeaux et, de plus en plus, de marques. Le dimanche, toujours à Ginza, la rue commerçante, Chuo-Dori, est fermée à la circulation.

Jadis ennuyeux quartier d'affaires entourant la gare de Tokyo, Marunouchi est aujourd'hui animé de belles boutiques et de cafés. Vous avez hâte de vous jeter dans la mêlée ? Sachez qu'en dépit de la médiatisation de ces dernières années, Tokyo reste une ville impénétrable, depuis ses us et coutumes jusqu'à son plan labyrinthique conçu au xve siècle par des seigneurs de la guerre soucieux de parer à toute invasion. Nous nous sommes efforcés de vous présenter des points de repère afin que vous vous y retrouviez, même si le mieux à faire est sans doute de vous laisser envahir par la ville, où bien des choses sont un régal pour la vue. Vous resterez bouche bée devant les jolis caractères *kanji* des paquets pastel des supermarchés ou devant les débauches hallucinogènes de fausses guirlandes et les dégringolades de billes d'argent des salles de *pachinko* (flipper). Et puis, vous irez admirer la Mori Tower (voir p 012), tremper vos baguettes dans un *ryotei* hors de prix ou roucouler sur la banquette à dentelles d'un taxi rose bonbon après un rendez-vous galant dans le hall décadent de l'Hotel Okura Tokyo (voir p 022). *Pour les adresses, voir les Informations pratiques.*

Mairie de Tokyo

Cette cathédrale d'acier et de granit n'est autre que la mairie, ou *Tocho*. Élevée en 1991 par le célèbre architecte Kenzo Tange, elle compte 48 niveaux, qui se séparent au 33ᵉ étage en deux tours jumelles. Par temps clair, on aperçoit le Fuji-Yama depuis les terrasses panoramiques du 45ᵉ étage, que les ascenseurs atteignent en 55 secondes.
2-8-1 Nishishinju-ku, Shinjuku-ku

Mori Tower

Les deux derniers étages de cette tour, qui en compte 54, sont le fleuron d'un vaste ensemble de petits immeubles et de tours d'habitations, commerces, restaurants, hôtels et bureaux. Il abrite en effet un musée d'art moderne dirigé par la propre épouse de Minoru Mori. À la tête du plus grand empire commercial du Japon, celui-ci a passé de patientes années à acquérir ce site de 11 hectares auprès de centaines de petits propriétaires. Outre un magnifique point de vue sur l'immensité de Tokyo, cette tour éclairée la nuit offre un point de repère immanquable dans le quartier survolté de Roppongi.

6-10-1 Roppongi Hills, Minato-ku,
www.roppongihills.com

Tod's Omotesando Building

Dernièrement, les plus grandes griffes, de Vuitton à Dior, se sont disputé la moindre parcelle d'Omotesando. Pour dessiner la boutique phare et le siège de l'Italien Tod's, l'architecte Toyo Ito s'est inspiré des imposants zelkovas (ormes du Caucase) qui ombragent Omotesando et qui, chose incroyable à Tokyo, ont été épargnés. Le béton des façades reprend leurs silhouettes et en fait des éléments structurels de l'édifice. Voilà qui surprend au milieu des façades de verre du quartier. Au sommet de Tod's se cache un nid d'aigle : une salle de réunion et de réception aux murs et tables de cuir. Il n'y a pas mieux que le jardin et la terrasse qui entourent l'immeuble pour observer les passants.

5-1-15 Jingumae, Shibuya-ku,
T 03 37 97 23 70

Caretta Shiodome

Cette tour de 48 étages, siège du géant de la publicité Dentsu, constitue l'apport de l'architecte Jean Nouvel au paysage urbain de Tokyo. Il faut avouer que cette réalisation, achevée en 2002, lui a valu moins d'admirateurs que le musée du quai Branly à Paris ou le Guthrie Theatre à Minneapolis. Mais il est indéniable qu'elle s'impose par sa présence sur l'horizon tokyoïte. Élevé à l'emplacement de la première gare de chemin de fer de la ville, près des jardins Hamarikyu, ce mince gratte-ciel est la pièce maîtresse du vaste complexe de Shiodome, tout comme la Mori Tower (voir p 012) est celle de Roppongi Hills. Culminant à 213 m, il compte 70 ascenseurs. Les 46e et 47e étages abritent une terrasse panoramique, un café et un restaurant.
1-8-11 Higashi-Shimbashi, Minato-ku, T 03 62 16 51 11, www.dentsu.com

HÔTELS
OÙ LOGER ET QUELLES CHAMBRES RÉSERVER

Avec une avalanche de chaînes internationales, le paysage hôtelier de Tokyo est en pleine mutation. Aux Conrad Tokyo (voir p 020) et Mandarin Oriental (voir p 028) se joindront bientôt le Ritz Carlton (www.ritzcarlton.com) et le Peninsula (www.peninsula.com). On peut leur préférer l'authenticité unique de grands classiques comme l'Hotel Okura Tokyo (voir p 022) et le New Otani (4-1 Kioi-cho, Chiyoda-ku, T 03 32 65 11 11). Ce dernier, ouvert pour les jeux Olympiques de 1964, est une véritable petite ville, avec équipe médicale, chapelle et jardin japonais quatre fois centenaire, en plus de ses 1 533 chambres et 37 bars ou restaurants.

Si vous êtes d'humeur impériale, vous préférerez naturellement l'Imperial Hotel, (1-1 Uchisaiwai-cho 1-chome, Chiyoda-ku, T 03 35 04 11 11). De l'immeuble de Frank Lloyd Wright, démoli en 1967, il ne subsiste plus que le hall, installé dans un parc près de Nagoya. Le Yamanoue, ou Hilltop Hotel (1-1 Surugadai Kanda, Chiyoda-ku, T 03 32 93 23 11), à Jinbo-cho, est lui aussi marqué par le passé. Jadis occupées par des officiers américains, ses chambres sont un délicieux mélange de lits à l'occidentale et de tatamis. Si les hôtels d'affaires sont plus abordables, ils ressemblent souvent à des boîtes d'allumettes. Le Mitsui Garden Hotel Ginza (voir p 025), conçu par Piero Lissoni, s'efforce de leur trouver un style.

Pour les adresses et les prix, voir les Informations pratiques.

Claska

Cette construction des années 1970 remaniée en 2003 par le cabinet Intentionallies reste le seul hôtel à échelle humaine de la ville. Les neuf chambres sont de pures merveilles, avec leur mobilier artisanal savamment dosé et leurs discrètes touches japonaises. Il n'y a pas deux chambres pareilles : l'une jouit d'une terrasse, l'autre d'une baignoire avec vue. Au 1er étage, le restaurant The Lobby (voir p 052) dispose d'une salle de banquet, tandis que la galerie du 2e étage expose des œuvres contemporaines. On y trouve aussi une excellente librairie Essence et le toiletteur des toutous chics, DogMan.
1-3-18 Chuo-cho, Meguro-ku,
T 03 37 19 81 21, www.claska.com

Chambre 402, Claska

Conrad Tokyo

Comme de nombreux hôtels de la ville, le Conrad occupe les derniers étages d'une tour, celle-ci dans le quartier neuf de Shiodome. Dès le hall d'entrée, on est frappé par une gigantesque sculpture rouge vif, tandis qu'ailleurs la décoration use et abuse du bois sombre tout en ménageant, en particulier dans les chambres sur jardin, des vues spectaculaires. Pour dîner à l'hôtel, vous avez le choix entre le Gordon Ramsay at Conrad Tokyo (le premier restaurant Gordon Ramsay ouvert en Asie), sa petite sœur la brasserie Cerise et un excellent restaurant japonais, le Kazahana. *1-9-1 Higashi-Shinbashi, Minato-ku, T 03 63 88 80 00, www.conradtokyo.co.jp*

Yoshimizu

Située au cœur de Ginza, cette auberge traditionnelle est le meilleur endroit où séjourner à la japonaise. C'est une retraite sereine aux pièces de style japonais (ci-dessus) et aux matériaux essentiellement naturels excluant tout produit synthétique : aux tatamis du sol et au *keisodo* (une argile poreuse) des murs s'ajoutent des *shoji* (paravents traditionnels) et des futons. Après une dure journée de shopping dans les boutiques de luxe du quartier, les bains en cèdre et en pierre vous aideront à récupérer avant d'aller goûter la cuisine diététique locale au restaurant de l'hôtel.
3-11-3 Ginza, Chuo-ku, T 03 32 48 44 32, www.yoshimizu.com

Hotel Okura Tokyo
Les fans d'architecture adorent cet
hôtel de 1962 dû à Yoshiro Taniguchi.
Les espaces publics ont échappé aux
rénovations et le hall est des plus chics.
Pour les chefs d'État ou pour ceux qui
peuvent se les offrir, la suite impériale
et la suite présidentielle sont restées
telles qu'il y a 40 ans.
2-10-4 Toranomon, Minato-ku,
T 03 35 82 01 11, www.okura.com/tokyo

Park Hyatt Tokyo

Avant de s'illustrer dans *Lost in Translation*, ce palace connu pour l'excellence de son service et de sa clientèle était déjà une adresse très courue pour séjourner à Tokyo. Perché dans les 14 derniers des 52 étages d'une tour de Shinjuku, cet hôtel est à couper le souffle, à commencer par la sculpture agressive du vaste hall (ci-dessus). On y trouve quelques-unes des suites les plus spacieuses et les plus high-tech de Tokyo, ainsi qu'une vertigineuse piscine intérieure, un spa dernier cri et un New York Grill & Bar très couru. Les Park View King Rooms jouissent d'une vue de carte postale sur le Fuji-Yama.
*3-7-1-2 Nishi-Shinjuku, Shinjuku-ku,
T 03 53 22 12 34,
http://tokyo.park.hyatt.com*

Mitsui Garden Hotel Ginza

Le travail réalisé par Piero Lissoni dans cet élégant hôtel d'affaires de Ginza est certes sans surprise. Pourtant, en se limitant à une palette réduite de couleurs sobres et à une poignée de classiques du design moderne, créés entre autres par Cappelini ou Knoll, ce célèbre décorateur italien est parvenu à transformer ce qui aurait pu être une tour anonyme en un refuge étonnamment douillet et accueillant. Les chambres aux immenses fenêtres surplombent le quartier et sa fébrile activité commerciale. Si vous le pouvez, réservez l'une des chambres doubles qui offrent une vue imprenable. Sinon, prenez un verre au très animé Karin Lounge, situé au 16ᵉ étage ; la vue y est tout aussi intéressante.

8-13-1 Ginza, Chuo-ku, T 03 35 43 11 31, www.gardenhotels.co.jp

Four Seasons Marunouchi

L'épanouissement de Marunouchi est tout récent, et ce qui n'était qu'un morne quartier d'affaires abonde désormais de boutiques de mode et de restaurants. Le fin du fin, c'est ce coquet hôtel de luxe niché dans une tour de verre dominant Ginza et la gare centrale. Petit pour Tokyo (il n'a « que » 57 chambres), il est décoré dans une palette neutre relevée de touches contemporaines luxueuses. Le salon du 7e étage (ci-dessus) est un endroit agréable où se détendre, et les chambres, comme on peut s'y attendre, sont spacieuses et modernes. Nous vous recommandons les suites à une chambre, avec toilettes d'invités et salle de bains à baignoire ovoïde (ci-contre). Il y a aussi un petit spa japonais, et un bistro vient d'être relancé. *Pacific Century Place, 1-11-1 Marunouchi, Chiyoda-ku, T 03 52 22 72 22, www.fourseasons.com/marunouchi*

Mandarin Oriental

Ouvert en mars 2006, le dernier hôtel de luxe de Tokyo a été décoré dans le style contemporain par Reiko Sudo, réputée au Japon pour son entreprise de tissus, Nuno. Toutes les chambres sont avec vue, bien sûr, mais aussi truffées de gadgets, comme les écrans LCD accrochés dans la salle de bains ou la chaîne où vous pouvez brancher votre iPod. Si vous ne résidez pas à l'hôtel, allez-y le week-end pour manger des *dim-sum* (raviolis asiatiques) ou prendre le thé au salon du 38ᵉ étage (ci-dessus): la vue est spectaculaire.
2-1-1 Nihonbashi-Muromachi, Chuo-ku, T 03 32 70 88 00, www.mandarinoriental.com/tokyo

Grand Hyatt Tokyo

Cet hôtel très recherché est à l'abri de l'énorme complexe de Roppongi Hills. Lui-même est colossal : près de 400 chambres et huit restaurants, plus toute une série de salles de banquet et une fantastique chapelle des mariages en bois. Ses points forts sont notamment la piscine aux lumières tamisées et les salles de bains évoquant des salles de bal. Pour ceux qui répugnent à partager les équipements de l'hôtel, la suite présidentielle (ci-dessus) possède une piscine et une terrasse privées, deux salles de bains et une cuisine avec de la vaisselle pour huit. *6-10-3 Roppongi Hills, Minato-ku, T 03 43 33 12 34, www.grandhyatttokyo.com*

La piscine, Grand Hyatt Tokyo

24 HEURES

LE MEILLEUR DE LA VILLE EN UNE JOURNÉE

Une journée à Tokyo peut être consacrée, d'une part, au shopping, pour trouver ce que l'on ne trouve pas ailleurs, d'autre part, à recharger ses batteries, et enfin à découvrir un bar de rêve et la meilleure cuisine qui soit. Un départ matinal vous enverra battre le pavé autour de l'Imperial Palace avec la fine fleur des joggers tokyoïtes. Ainsi, vous n'aurez pas volé votre soin au superbe spa du nouvel hôtel Mandarin Oriental (ci-contre). Il vous restera alors à vous lancer dans un sérieux shopping.

Si Harajuku et Daikanyama, avec leurs boutiques de mode et leurs cafés, valent le détour, l'endroit branché en ce moment, c'est Meguro. Ce quartier résidentiel jadis parsemé de magasins de fournitures pour artistes, de tailleurs et de bars à nouilles abrite maintenant des boutiques, des cafés et des dépôts vintage, en rangs serrés le long des voies ombragées qui bordent les rives étroites de la rivière de Meguro. En descendant Meguro-Dori, vous trouverez les meilleurs magasins de meubles et de design. Après un déjeuner tardif, consacrez l'après-midi à la culture et jetez un dernier coup d'œil à Meguro avant d'aller dîner à l'Higashi-yama Tokyo (voir p 038). S'il vous reste un peu d'énergie, le moment est venu de vous attaquer au New York Grill & Bar du Park Hyatt Tokyo (voir p 024). Sachez toutefois que sa clientèle ressemble plutôt à Bill Murray qu'à Scarlett Johansson.

Pour les adresses, voir les Informations pratiques.

09.00 Spa du Mandarin Oriental
Si le spa de votre hôtel ne vous attire pas, il faut savoir que ce nouveau temple du bien-être est aussi ouvert aux non-résidents. C'est l'un des mieux équipés de la ville et il jouit incontestablement des plus belles vues. Réservez l'une des suites de soins privée : confortablement installé sur votre lit de massage au 36ᵉ étage, vous jouirez d'une si belle vue sur la ville que vous jugerez peut-être inutile de descendre vous aventurer dans ses rues. Depuis son ouverture, ce spa ne désemplit pas, aussi réservez largement à l'avance. Des remises conséquentes sont accordées aux habitués.
2-1-1 Nihonbashi-Muromachi, Chuo-ku,
T 03 32 70 88 00,
www.mandarinoriental.com/tokyo

11.00 Meguro-Dori
Meguro-Dori est désormais « la rue
du meuble », car elle foisonne de
magasins de design et de mobilier des
années 1950, surtout entre le croisement
de Yamate-Dori et le Claska (voir p 017).
Nous vous recommandons Acme (T 03 57
21 84 56 ; ci-contre) pour les importations
américaines, Fusion Interiors (T 03 37 10
50 99) pour les productions scandinaves,
et surtout Meister (T 03 37 16 27 67)
pour le design japonais classique et
contemporain. Il faut aussi voir Carlife
(T 03 57 84 09 32), véritable instantané
de la mode féminine locale, et Cow
Books (voir p 080) pour ses ouvrages
d'avant-garde des années 1960 et 1970,
mais aussi son choix actuel de livres
et revues d'art et de design. Higashiya
(T 03 57 20 13 00) est une boutique
étonnante où l'on trouve des sucreries
aux haricots. Achetez-y n'importe quoi,
rien que pour l'emballage.

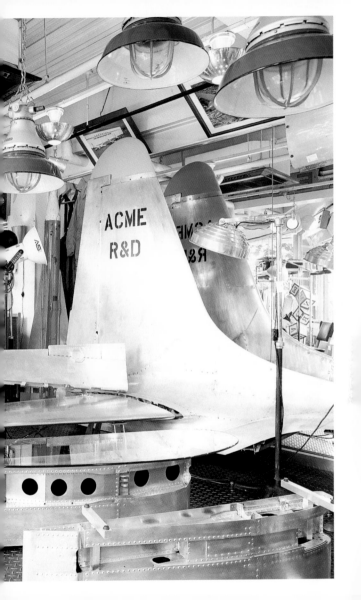

14.00 Maisen

Si vous aimez les *tonkatsu*, ces exquises côtelettes de porc frites qui valent à elles seules une visite au Japon, il n'y a qu'un seul endroit où aller. Chez Maisen, il y a la queue toute la journée, chacun attendant patiemment de se jeter sur son menu de *tonkatsu*, choux bio, légumes vinaigrés et riz. Cette institution tokyoïte vend également quelques produits, comme la sublime sauce *tonkatsu*, laquelle, cela va de soi, s'honore d'un conditionnement sublime et inutile. Faites-en provision pour vos amis et vos proches, voire pour soigner votre état de manque quand vous serez rentré chez vous.

4-8-5 Jingumae, Shibuya-ku,
T 03 34 70 00 71

16.00 Galerie des Trésors du Horyu-ji

C'est à Yoshio Taniguchi, qui a conçu
la magnifique extension du MoMA de
New York, que l'on doit ce joyau secret du
Tokyo National Museum. Blotti derrière
les bâtiments principaux, il vaut le coup
d'œil pour son architecture pure et
sereine. Il abrite une collection de trésors
provenant du temple Horyu-ji de Nara,
l'une des pagodes majeures du Japon.
Les expositions évitent la présentation
ultra-élaborée que l'on retrouve partout
ailleurs, et cet édifice de 1999 est aussi un
endroit joliment épuré où flâner. La caisse
ferme généralement à 16 h 30 mais, en
été, le musée reste ouvert jusqu'à 20 h
le vendredi.
*13-9 Ueno-koen, Taito-ku, T 03 38 22 11 11,
www.tnm.go.jp*

21.00 Higashi-yama Tokyo
Pour la cuisine japonaise revisitée,
il n'y a pas mieux qu'Higashi-yama. La
décoration hardie est l'œuvre du maître
de céans, Shinichiro Ogata, dont le
cabinet de design Simplicity a également
dessiné la vaisselle. Parachevez votre
dîner en prenant un digestif dans
l'élégant salon situé en bas.
1-21-25 Higashiyama, Meguro-ku,
T 03 57 20 13 00, www.simplicity.co.jp

SORTIES
CAFÉS, RESTAURANTS, BARS ET DISCOTHÈQUES

Dîner dehors est l'un des grands plaisirs d'un séjour à Tokyo. En matière de cuisine japonaise, on trouve de tout, des modestes et sympathiques bars à nouilles jusqu'aux luxueux *kaiseki,* où l'on prépare avec un soin méticuleux des ingrédients de premier choix servis avec art. Les cuisines du monde sont également bien représentées, et Tokyo possède de bons restaurants français et italiens. On s'en tire beaucoup mieux pour le déjeuner, servi à un prix raisonnable par des restaurants souvent inabordables le soir.

Le problème reste souvent de trouver les restaurants. Même les meilleurs se cachent souvent au dernier étage d'une tour anonyme ou ne sont signalés que par un rideau, une lanterne rouge ou les idéogrammes d'une enseigne minuscule. Pour y accéder, on peut souvent se faire faxer un plan. Le vendredi soir, les employés de bureau envahissent les milliers d'*izakaya* de la ville : il s'agit de sortes de pubs, mais où l'on mange bien mieux. On trouve aussi des bars bon marché et accueillants, ainsi que des lieux où la note est proportionnelle à la splendeur de la vue. Les discothèques vont de l'Ageha (2-2-10 Shinkiba, Koto-ku, T 03 55 34 25 25), le mastodonte de la baie de Tokyo, au plus intime Blue Note (Raika Building, 6-13-16 Minamiaoyama, Minato-ku, T 03 54 85 00 88) à Aoyama. Si vous cherchez où manger un morceau après une nuit blanche, essayez les bars à sushi du marché au poisson de Tsukiji. *Pour les adresses, voir les Informations pratiques.*

Restaurant Tanga

Le quartier d'affaires d'Akasaka abritait jadis de nombreux *ryotei*, ces restaurants de luxe situés à l'abri des regards où hommes politiques et P-DG aimaient se retrouver. Le Tanga occupe l'emplacement d'un ancien *ryotei* réputé. Masamichi Katayama l'a superbement remanié du hall jusqu'au bar, dont les éclairages tamisés se reflètent au sol et au plafond, tapissés de miroirs. Visible derrière un immense vitrage, la cuisine sur 2 étages est dirigée par Masa Nagasaka, l'un des premiers chefs à introduire la cuisine californienne au Japon. Tanga possède trois salles à manger privées, dont la Krug et la Wakabayashi, ainsi baptisées en hommage à l'ancien *ryotei*.
Wakabayashi Building,
2-8-5 Akasaka, Minato-ku,
T 03 55 75 66 68

Rakusho Kushu Maru

Après dix ans de pratique culinaire à Kyoto, le patron et chef Keiji Mori a ouvert cet agréable restaurant à Aoyama. La carte varie selon la saison, avec des grands classiques comme le *goma dofu* (tofu au sésame) et le *kamo manju* (brioche traditionnelle de Kyoto au canard sauvage et aux bulbes de lis). Le simple poulet au sel et au poivre *yuzu* est un régal. C'est l'endroit idéal pour goûter de la bonne cuisine japonaise en s'épargnant le cérémonial et la dépense d'un *kaiseki*. La carte en anglais propose plusieurs menus simples. La salle est réchauffée de sièges en bois, dont une rangée au comptoir, d'où l'on peut observer la fringante escouade de cuisiniers. Il y a aussi de charmants salons privés pour les petits groupes.

Aoyama KP Building, 1er étage B,
5-30-8 Jingumae, Shibuya-ku,
T 03 64 18 55 72

Waketokuyama

Dans ce restaurant, tout relève d'un grand raffinement, depuis l'écran de lamelles métalliques (marque de fabrique de l'architecte Kengo Kuma) qui abrite le bâtiment du vacarme de la rue jusqu'à la délicate cuisine japonaise du chef Hiromitsu Nozaki. Celui-ci compose une carte saisonnière des plus honnêtes avec des produits de première qualité. Même si son menu du soir n'est pas ce que l'on appelle bon marché, tout est réservé pour dîner des semaines à l'avance. Mieux que tout autre plat, sa célèbre assiette de desserts, où la fève côtoie l'orange et le miel noir, saura vous convaincre de la créativité dont l'homme est capable.
5-1-15 Minami-Azabu, T 03 57 89 38 38

Wired

À Tokyo, les cybercafés sont rares et éloignés du centre, la plupart des gens surfant à l'aide de leur téléphone portable. Si vous êtes de passage et que vous avez besoin de vous connecter un moment, trouvez un café de la chaîne Wired, qui offre un accès gratuit à ses clients. Le dernier d'entre eux, le Wired Café News, dispose d'une flopée de portables avec accès sans fil, et vous pourrez y déguster des nouilles, de la salade et des plats de riz suivis d'une glace au thé vert tout en naviguant sur Internet. Ou bien, confortablement installé dans un canapé, vous pourrez découvrir les dernières nouvelles dans les journaux ou sur les écrans muraux.
Mitsui Tower, 2ᵉ étage, Nihonbashi-Muromachi, Chuo-ku, T 03 32 31 57 66, www.cafecompany.co.jp

Beige

On dirait qu'à Tokyo plus qu'ailleurs
excès est synonyme de succès : perché
sur le Ginza Chanel Building et baptisé
d'après la couleur préférée de
Mademoiselle, ce restaurant français
lancé par Karl Lagerfeld et confié au chef
Alain Ducasse a été dessiné par l'architecte
Peter Marino. Trop, c'est trop, surtout
quand la carte de Ducasse se risque à
marier des ingrédients aussi riches que
le foie gras et le homard aux saveurs
délicates des saint-jacques de Nemuro.
Et pourtant, c'est encore mieux qu'on ne
pourrait l'imaginer. Car, si un lancement
fracassant lui a valu 2 000 réservations
avant même d'ouvrir, c'est à la qualité
de sa cuisine et à son ambiance
étonnamment décontractée que Beige
doit sa clientèle d'habitués.
Ginza Chanel Building, 10ᵉ étage,
3-5-3 Ginza, Chuo-ku, T 03 51 59 55 00,
www.beige-tokyo.com

X + Y

En partie décoré par le photographe
Kyoichi Tsuzuki, ce bar doit son nom au
tube de Naomi Chiaki *X plus Y = Love*. La
boule disco, le demi-queue blanc et une
alcôve ornée de nus coquins (photo) lui
donnent un air rétro, sur un fond musical
japonais des années 1960 et 1970.
Yoshikawa Building, 4e étage,
1-4-11 Ebisu-nishi, Shibuya-ku,
T 03 54 89 00 95

Kurage

L'immeuble des Services sociaux de Shibuya s'est honoré en 2005 de l'installation d'une nouvelle branche du Tokyo Wonder Site, un centre culturel subventionné, et du Kurage, un café aussitôt très fréquenté. Le menu déjeuner vaut vraiment la peine. Pour 840 ¥, on peut choisir parmi une longue série de spécialités japonaises (crevettes et racines de lotus frites, poulet et salade de bardane, porc sucré aux œufs...), toutes accompagnées de soupe miso, de riz aux cinq graines et de légumes vinaigrés. La carte des boissons est tout aussi exhaustive. Kurage reste ouvert jusqu'à 23 h 30.

1-19-8 Jin'nan, Shibuya-ku

Toraya Café

La maison Toraya fabrique des confiseries à la pâte de haricot depuis des siècles. Son ingrédient de base est le haricot azuki, qui entre dans la composition des sucreries traditionnelles japonaises et dans quantité de recettes de la cuisine fusion, comme le délicieux gâteau aux haricots, au chocolat et au rhum. On peut dire qu'aller chez Toraya, c'est un peu comme visiter un parc à thème, et il faut vous attendre à de longues queues le week-end. Mais vous ne trouverez nulle part ailleurs des friandises aussi délicieuses que celles de cette institution tokyoïte.

6-12-2 Roppongi, Keyakizaka-Dori, Roppongi Hills, T 03 57 86 98 11

The Lobby

Le bar du vaste Lobby de l'hôtel Claska
(voir p 017) constitue une halte rêvée
après une journée passée à courir les
boutiques de design de Meguro (voir nos
bonnes adresses p 034). Allez-y pour les
DJ et la (jolie) clientèle, ou simplement
pour admirer ce que l'architecte
Shuwa Tei a su réaliser avec du bois.
*1-3-18 Chuo-cho, Meguro-ku,
T 03 57 73 86 20, www.claska.com*

LES ADRESSES D'UNE INITIÉE

MAYU YOSHIKAWA, STYLISTE

Mayu Yoshikawa travaille pour des stylistes japonais comme Issey Miyake. Elle commence une soirée par un verre au Montoak (6-1-9 Jingumae, Shibuya-ku, T 03 54 68 59 28), la retraite du designer Ichiro Katami, à l'écart des boutiques d'Omotesando. Pour une soirée plus protocolaire, son choix se porte sur l'Orchid Bar de l'Hotel Okura (voir p 022) qui respire le charme et le sérieux des décideurs du Japon d'après guerre ; la déco n'est pas mal non plus.

Pour dîner, son choix se porte sur Adan (5-9-15 Mita, Mita, T 03 54 44 45 07), un ancien entrepôt traditionnel joliment garni de meubles en bois où l'on trouve musique live et plats méridionaux d'Okinawa. Se sent-elle d'humeur tapas et flamenco ? Elle court à Las Meninas (3-22-7 Koenji Kita, 2e étage, Suginami-ku, T 03 33 38 02 66), dans le quartier branché de Koenji. Pour prendre un dernier verre, elle aime le petit Red Bar (1-12-22 Shibuya, Shibuya-ku), connu pour ses centaines de lustres. «On s'y amuse toujours, et on s'y sent tout petit, comme dans un train bondé», dit-elle. Pour danser, elle préfère l'Ageha (2-2-10 Shinkiba, Koto-ku, T 03 55 34 25 25), une discothèque géante avec piscine. Enfin, pour se remettre de sa nuit, elle ira prendre une collation matinale au marché au poisson de Tsukiji. Pour une escapade audacieuse en dehors de la ville, elle vous suggère l'île d'Hachijojima, à près de 10 heures de bateau de la baie de Tokyo.

Pour les adresses, voir les Informations pratiques.

ARCHITOUR

GUIDE DES BÂTIMENTS EMBLÉMATIQUES DE TOKYO

Le redoutable tremblement de terre de 1923 et les bombardements soutenus de la Seconde Guerre mondiale n'ont pas laissé grand-chose des bâtiments anciens de Tokyo, et ce qui subsistait a été la proie des promoteurs. Tokyo est un chantier perpétuel et le visiteur peut se sentir oppressé par la prolifération d'immeubles et de voies rapides. Jusqu'à récemment, la menace sismique interdisait de construire en hauteur, mais, depuis que les avancées technologiques le permettent, la capitale japonaise a vu s'élever d'énormes complexes comme Roppongi Hills.

L'architecture contemporaine se condense sur Omotesando où un aréopage de «starchitectes» – Tadao Ando, Kazuyo Seijima, Kisho Kurokawa, Toyo Ito et Jun Aoki – a bâti les immeubles phares des grandes marques. L'architecture traditionnelle se fait de plus en plus rare, mais on trouve encore quelques joyaux, comme le Mingeikan (4-3-33 Komaba, Meguro-ku, T 03 34 67 45 27), le musée des Arts populaires fondé par Soetsu Yanagi, qu'abrite un bel édifice de 1936 en pierre et en stuc, au toit de tuiles et à l'intérieur en bois. Ceux que le vieux Tokyo intéresse visiteront le Edo-Tokyo Open-Air Architectural Museum, dans Koganei (3-7-1 Sakura-cho, T 04 23 88 33 00), qui présente dans un parc une collection de constructions sauvées des démolitions : fermes *minka* en bois, échoppes de fleuristes, habitations et maisons de bains. *Pour les adresses, voir les Informations pratiques.*

Tokyo International Forum

Conçu par l'architecte uruguayen Rafael Viñoly, ce gigantesque centre culturel a été achevé en 1996. Il comporte quatre auditoriums de tailles diverses et un espace public central, mais le plus impressionnant reste son hall de verre, dont l'ovale enserre sur 210 m les voies du chemin de fer qui relie la gare de Tokyo à Yuraku-cho. On peut l'admirer du haut de l'hôtel Four Seasons Marunouchi (voir p 026), lui aussi situé dans le quartier de bureaux de Marunouchi. Une partie du vaste terrain sur lequel s'étend le Forum fut un temps occupée par les anciens locaux de la mairie, œuvre de Kenzo Tange. *3-5-1 Marunouchi 3-chome, Chiyoda-ku, T 03 52 21 90 00*

Dior

Entre les marques, c'est à celle qui bâtira l'immeuble le plus somptueux de Tokyo, en général sur Omotesando, les Champs-Élysées locaux. L'enfant chéri de l'avant-garde, Jun Aoki, y a élevé l'immense boutique de Louis Vuitton inspirée d'un empilement de malles de la célèbre marque (le jour de l'ouverture, la recette a atteint 1 million de dollars). Toyo Ito a conçu la boutique phare de Tod's (voir p 013), tandis que Herzog & de Meuron ont élevé à Aoyama les « rayons de miel » de Prada, aussitôt devenus un emblème de Tokyo (voir p 069). À Ginza, ont œuvré Renzo Piano pour Hermès et Shigeru Ban pour Swatch. Quant à Kazuyo Sejima et Ryue Nishizawa, ils ont créé cette tour de verre (ci-dessus) pour Dior.
5-9-2 Jingumae, Shibuya-ku,
T 03 54 64 62 63, www.dior.com

Cathédrale Sainte-Marie

Kenzo Tange est l'un des grands noms de l'architecture nippone. Il a dessiné Sainte-Marie en 1964, à l'occasion du centenaire de la reconnaissance officielle du catholicisme par le Japon. La cathédrale d'origine avait été détruite en 1945 et Tange l'a remplacée par cette structure, métaphore d'un oiseau aux ailes déployées vue de face et en forme de croix vue du ciel. Si la silhouette extérieure est d'un effet saisissant, la lumière du jour qui traverse la verrière placée derrière l'autel crée d'intéressants effets de clair-obscur à l'intérieur de l'édifice.

3-16-5 Sekiguchi, Bunkyo-ku

Roppongi Hills
Ouvert en 2003, ce vaste complexe
commercial, résidentiel et administratif
de 2,5 milliards de dollars a attiré
49 millions de visiteurs en une seule
année. Le cabinet américain Kohn
Pedersen Fox en a conçu l'édifice
central, la Mori Tower (voir p 012).
À voir également, le siège de TV Asahi,
œuvre de Fumihiko Maki, et
l'immense installation lumineuse
de Tatsuo Miyajima (photo).

Bunka Kaikan

Élevé dans le parc d'Ueno en 1961, pour le 5e centenaire de Tokyo, le Bunka Kaikan est le chef-d'œuvre de Kunio Maekawa, l'un des plus grands architectes japonais du XXe siècle, qui œuvra dans le pays dès 1930, après un stage à Paris auprès de Le Corbusier. Ce complexe abrite une salle de concert, un auditorium, des salles de répétition et une bibliothèque musicale. Si la salle a de quoi séduire les amateurs de modernisme nippon, l'architecte, qui était mélomane et s'entoura de spécialistes, l'a aussi dotée d'une acoustique incomparable. Maekawa est mort en 1986. Sa maison, une autre de ses grandes réussites, est conservée à l'Edo-Tokyo Open-Air Architectural Museum (voir p 056).

5-45, Ueno-koen, Taito-ku,
T 03 38 28 21 11

Stade national de Yoyogi

Le complexe sportif réalisé pour les jeux Olympiques de 1964 entre les deux quartiers animés de Shibuya et d'Harajuku est l'œuvre majeure de Kenzo Tange. Il s'agit d'un monument emblématique de la ville, et l'on a pu comparer l'édifice central à mille choses, de la coquille à la pagode. Les JO de 1964 ont marqué un tournant pour le Japon d'après guerre et un moment crucial pour la création nippone. Admirez le pont voisin, orné de motifs sportifs, et le village olympique, qui existe encore tout au bout d'Omotesando, avant d'aller voir les équipements du parc de Komazawa (voir p 064-065). Tange, né en 1913 et mort en 2005, s'est également illustré en créant les magnifiques centre et parc de la Paix sur les ruines d'Hiroshima. *2-1-1 Jin'nan, Shibuya-ku*

Tour olympique du parc de Komazawa
La manne architecturale des JO de 1964 ne
s'est pas arrêtée au stade de Yoyogi, de
Kenzo Tange, et à ses environs (voir p 063).
Le héraut du modernisme Mamoru Yamada
y a contribué avec le fabuleux centre d'Arts
martiaux du parc de Kitanomaru, celui de
Komazawa ayant été doté par Yoshinobu
Ashihara d'un complexe sportif d'une
suprême élégance, avec sa magnifique
toiture anguleuse. Masachika Murata est

allé encore plus loin avec ce stade de
football à couverture courbe en porte-à-
faux, qu'il a flanqué d'une tour hardiment
géométrique, comme un audacieux
témoin du succès des Jeux.
1-1 Komazawa-koen, Setagaya-ku

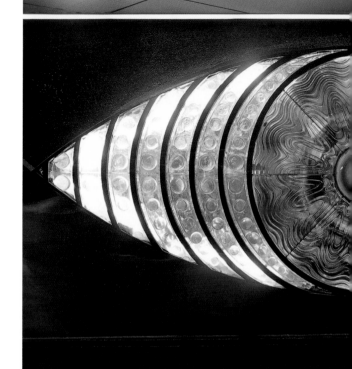

L'Œil de Shinjuku
Cette pièce aussi étrange que
magnifique de Yoshiko Miyashita est
l'un des fleurons de Tokyo depuis 1969.
Pourtant, malgré son emplacement
enviable, juste en face de la sortie ouest
de la gare de Shinjuku, elle est en
général à peine regardée, voire ignorée,
par la foule des banlieusards qui se
pressent vers leur lieu de travail.
Gare de Shinjuku, Shinjuku-ku

Baisoin Temple

Qui dit temple japonais dit généralement vieille pagode en bois, fumées d'encens et jardins de mousses centenaires. Aussi, le Baisoin élevé en 2003 par Kengo Kuma a fait sensation. En plein centre-ville, à un jet de pierre des rues à la mode, voici le visage moderne du bouddhisme : un temple contemporain à plusieurs étages, avec ses bureaux et appartements attenants. Un temple s'élevait à cet endroit depuis 350 ans, mais le prêtre a décidé de démolir ce temple d'origine et de faire appel à Kuma pour lui donner un nouveau souffle. La façade (ci-dessus) s'abrite derrière les claires-voies métalliques qu'affectionne Kengo Kuma.

2-24-8 Minamiaoyama, Minato-ku

Prada Aoyama

Le tandem suisse Herzog & de Meuron a élevé pour Prada ces « rayons de miel » vitrés dans une rue étroite du quartier huppé d'Aoyama. Si les boutiques de grandes marques y abondent, elles font pâle figure à côté de celle-ci. Le jour, elle attire les étudiants en architecture ; la nuit, elle brille comme un lampion. À l'intérieur, tout n'est que luxe, depuis l'épaisse moquette blanche et les portants fourrés jusqu'aux cabines d'essayage, sans pareilles à Tokyo. Pour avoir un aperçu de l'architecture contemporaine japonaise, le mieux est de remonter Omotesando depuis cette boutique jusqu'à Omotesando Hills de Tadao Ando (voir p 077).

5-2-6 Minamiaoyama, Minato-ku, T 03 64 18 04 00, www.prada.com

National Museum of Western Art
Le parc d'Ueno abrite plusieurs musées,
dont celui-ci, conçu par Le Corbusier
mais achevé en 1959 par trois de ses
élèves japonais, Kunio Maekawa, Junzo
Sakakura et Takamasa Yoshizaka. Le
plus fascinant est sans doute la galerie
en double huit où sont exposées les
collections du XIXe siècle.
*7-7 Ueno-koen, Taito-ku, T 03 38 28 51 31,
www.nmwa.go.jp*

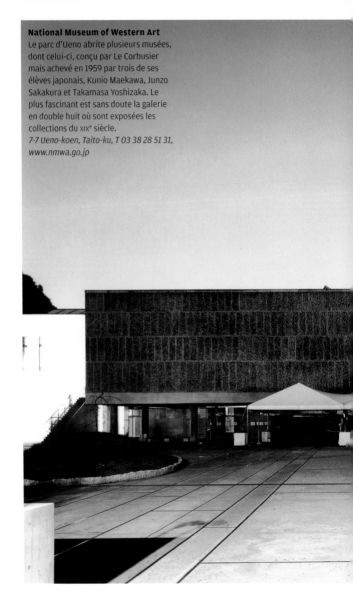

SHOPPING

LES MEILLEURES BOUTIQUES ET CE QU'IL FAUT Y ACHETER

Le shopping à Tokyo n'est que superlatifs : le plus aimable service, les plus belles vitrines, les plus jolis paquets. Fort heureusement, «l'étiquetage le plus cher» n'est plus d'actualité. Pour la mode, filez tout droit à Aoyama, où se trouvent les griffes japonaises comme Issey Miyake ou Yohji Yamamoto, mais aussi Comme des Garçons et le monument Prada de Herzog & de Meuron (voir p 069), avant de suivre Omotesando pour aller traquer la basket rare à Harajuku. Kurachika Yoshida (5-6-8 Jingumae, T 03 54 64 17 66), la marque culte de sacs, bagages et portefeuilles, cachée derrière Tokyo Union Church, vaut aussi le déplacement.

À Shibuya-ku, Daikanyama abrite le disquaire Bonjour Records (24-1 Sarugaku-cho, T 03 54 58 6020) ou l'excellente librairie de design Hacknet (1-30-10 Ebisu-nishi, 1er étage, T 03 57 28 66 11). Même Marunouchi fourmille de cafés et de magasins. La Beams House (Marunouchi Building, 2-4-1 Marunouchi Chiyoda-ku, T 03 52 20 86 86) propose de beaux vêtements et accessoires, et, à l'étage, les articles de toilette Marks & Web (T 03 52 20 55 61). Ne manquez pas de visiter une *depachika,* l'épicerie en sous-sol des grands magasins : Mitsukoshi (4-6-16 Ginza, Chuo-ku, T 03 55 62 11 11) a l'une des meilleures. Puis, pour vous reposer du luxe, regagnez un quartier plus modeste comme Yanaka, dont les échoppes vendent de tout, des pots en bambou aux galettes de riz.

Pour les adresses, voir les Informations pratiques.

Hhstyle.com/casa

À Tokyo, où les commerces ont une architecture chaque jour plus ambitieuse, il est de plus en plus difficile de sortir du lot, mais la boutique réalisée par Tadao Ando pour la chaîne de mobilier design Hhstyle.com/casa y est parvenue. Située dans l'une des rues les plus commerçantes d'Harajuku, elle oblige le passant le plus blasé à s'arrêter. La structure en origami, avec un simple éclat de verre en guise de vitrine, abrite deux marques italiennes introduites tout récemment au Japon : Armani Casa, la ligne de meubles et d'articles de maison d'Armani, et le cuisiniste et fabricant de meubles de salle de bains Boffi. Les cuisines présentées sont plus grandes que la plupart des logements de Tokyo.
6-14-5 Jingumae, Shibuya-ku,
T 03 34 00 88 21, www.hhstyle.com

D&Department

Fondé en 2000, ce magasin et café est issu de l'entreprise de design Drawing and Manual, dont le P-DG Kenmei Nagaoka achète et vend du design d'époque depuis des années. Perdu parmi des immeubles de bureaux des années 1960 dans le quartier excentré d'Okusawa, c'est l'un des lieux les plus insolites de Tokyo, capharnaüm de meubles et d'articles de maison japonais, d'objets d'occasion, de disques et de livres. D&Department défend le design « éternel », les objets quotidiens classiques qui se vendent depuis des lustres, ce qui l'a amené à créer sa propre marque, 60 Vision, afin de rééditer des articles oubliés, comme ce fauteuil A60 (ci-dessus), à 34 650 ¥.

8-3-2 Okusawa, Setagaya-ku,
T 03 57 52 01 20, www.d-department.jp

Omotesando Hills

Tadao Ando est parvenu à insérer un centre commercial de plusieurs étages et une quarantaine de logements sur cette longue ondulation de terrain d'Omotesando. Ici, nulle galerie marchande classique : imaginez des allées en pente douce, un clapotis musical et les boutiques les plus sublimes que vous ayez jamais vues, envahies le week-end par une cohue divinement habillée. Yves Saint Laurent et Bottega Veneta voisinent avec le très chic Amadana (voir p 078) et la papeterie Delfonics. Les restaurants sont le plus souvent bondés, mais vous pouvez toujours avaler un *choko* de saké à l'Hasegawa Saké Shop ou goûter la spécialité du Toraya Café, le gâteau aux haricots.
4-12-10 Jingumae, Shibuya-ku,
www.omotesandohills.com

Amadana

Après l'hôtel Claska (voir p 017),
le cabinet de l'architecte Shuwa Tei,
Intentionallies, continue de réaliser des
projets résidentiels et commerciaux
remarqués. Parallèlement, Tei s'illustre
dans le design, avec notamment une ligne
d'ustensiles de cuisine raffinés pour
Toshiba. Il a également fondé Real Fleet,
une société qui redessine et coédite de
superbes appareils électroniques haut
de gamme sous la marque Amadana.
Celle-ci a désormais son magasin où est
présentée sa gamme de produits, qui
comporte des téléphones, des télévisions
et incontestablement le plus beau lecteur
de DVD portable du monde, habillé de
bambou laminé.

Omotesando Hills, 3ᵉ étage B, MB316,
4-12-10 Jingumae, Shibuya-ku,
T 03 34 08 20 18, www.amadana.com

Tendo Ply

Jusqu'en 2005, la firme Tendo, qui fabrique des meubles en contreplaqué raffinés depuis une soixantaine d'années, ne s'était pas implantée à Tokyo. Désormais, le saisissant magasin que l'architecte Daigo Ishii a aménagé dans une ancienne école primaire en piteux état élargit le public de cette marque iconique. Nous sommes des admirateurs de longue date des sinuosités de grands classiques comme le tabouret Butterfly de Sori Yanagi ou le rocking-chair Heron de Mitsumasa Sugasawa (ci-dessus). Ils cohabitent ici avec une série d'accessoires tels que tee-shirts, boîtes en contreplaqué de la compagnie Saito et tapis de laine suédois.
4-35-7 Fuka Sawa, 2ᵉ étage, Setagaya-ku, T 03 57 58 71 11, www.tendo.ne.jp

Corp Aobadai #103
1-14-11 Aobadai Meguro
Tokyo 153-0042 JAPAN

CLOSE ON WEDNESDAY

12:00 — 21:00
We have 1 hour for lunch time

LITERATURE/POETRY
ESSAYS
BEAT GENERATION
BLACK POWER
COUNTER CULTURE
BIOGRAPHY
HUMOR/COMICS
ART
PHOTO
DESIGN/GRAPHIC
ILLUSTRATION
ARCHITECTURE
INTERIOR
MUSIC
HOBBY
NEW SCIENCE
SPORTS
TRAVEL/LIFE
MAGAZINE
FASHION
HISTRY
COOKING
CHILDREN BOOK
CATALOGUE
PAPER COLLECTIBLES
&
FRESH COFFEE

Cow Books

Spécialisée dans les livres et les revues des années 1960 et 1970, Cow Books propose un choix éclectique allant des éditions rares des écrivains de la Beat Generation ou du Black Power jusqu'aux trésors oubliés que sont les illustrations et photos psychédéliques. Ainsi, à notre dernier passage, nous avons déniché une édition originale du remarquable *Skokuji*, le poignant album où Nobuyoshi Araki a consigné en photos tout ce que lui-même et sa femme, Yoko, ont mangé au cours des derniers mois que celle-ci a vécus. Cette librairie a une table de lecture, sert du bon café et invite à feuilleter. Au magasin de Meguro (ci-contre) et à celui, plus récent, qu'abrite le Dragonfly Cafe d'Aoyama s'ajoute une librairie mobile qui va au-devant des lecteurs. *1-14-11 Aobadai, Meguro-ku, T 03 54 59 17 47, www.cowbooks.jp*

Loopwheeler
Loopwheeler, qui a emprunté son nom
à un type de machine à tricoter, produit
un nouveau genre de vêtements sport
en appliquant des standards éprouvés
aux incontournables de la garde-robe.
Les branchés adorent le style et la
qualité de ses sweat-shirts et tee-shirts.
Yamana Building, 1er étage B.
3-51-3 Sendagaya, Shibuya-ku,
T 03 54 14 23 50

青海波　規模柄第五調今和令　国立国会図書館蔵

Ito-ya

À Ginza, une pince à dessin géante signale sur Chuo-Dori cette boutique, véritable rêve pour les amateurs de papeterie. La maison mère de la compagnie plus que centenaire comprend huit étages de stylos, dossiers, cartes et calepins, plus une galerie et un salon de thé. Outre les banals stylos Pilot et agendas Camper, Ito-ya propose des articles allant des porte-cartes de visite, organiseurs en cuir, et porte-documents aux fournitures pour artistes. Ne manquez pas l'annexe, Ito-ya 3, dans la rue située derrière le magasin. On y trouve de la papeterie japonaise, des pinceaux pour la calligraphie, du papier *washi* fait main et, au rez-de-chaussée, de pleins tiroirs de papier imprimé de motifs traditionnels.
2-7-15 Ginza, Chuo-ku, T 03 35 61 83 11, www.ito-ya.co.jp

Bapexclusive

Lentement mais sûrement, le créateur de boutiques Masamichi Katayama change l'aspect des commerces de Tokyo. Lorsque Nigo, le fondateur de A Bathing Ape, lui a demandé de relooker la boutique Bapexclusive, il ne se l'est pas fait dire deux fois et l'a métamorphosée de bas en haut. Le rez-de-chaussée (ci-dessus) est froidement carrelé sous un plafond à camouflage impression gorille. Au 1er étage (voir p 086-087), réchauffé, quant à lui, d'un tapis aux couleurs vives, les chaussures de sport A Bathing Ape défilent sur un tapis roulant comme des assiettes de sushis. La palme va aux néons de l'escalier, où la clientèle se bouscule pour s'arracher la dernière édition limitée de tee-shirts ou de baskets.

5-5-8 Minamiaoyama, Minato-ku,
T 03 57 72 25 24, www.bape.com

SPORTS ET SPAS

S'ENTRAINER, SE RELAXER OU SIMPLEMENT REGARDER

À Tokyo, on travaille dur et on s'entraîne encore plus dur. Chaque dimanche matin, les parcs de la ville se remplissent de torses bombés. Namban Rengo (www.namban.org) attend les amateurs de plein air le dimanche à 9 h (8 h en été) pour 40 minutes de jogging, à l'entrée du parc de Yoyogi. Celui-ci abrite le stade national de Yoyogi (voir p 063), dessiné par Kenzo Tange pour les jeux Olympiques de 1964 – l'un des plus beaux édifices du XXᵉ siècle selon les jurés du Pritzker Architecture Prize. À Tokyo, le vélo reste avant tout un moyen de se frayer un chemin dans une circulation impossible. Si vous résidez au Claska (voir p 017), l'un de nos hôtels préférés même s'il est mal situé, vous pourrez emprunter l'un des vélos gracieusement mis à votre disposition.

On ne peut quitter Tokyo sans assister à un combat de sumos. La meilleure salle est le Kokugikan, à Ryogoku (1-3-28 Yokoami, Sumida-ku, T 03 36 23 51 11). Pour être sûr d'avoir une place, arrivez avant midi. Quant au football, depuis la Coupe du monde de 2002, il commence à faire son chemin. On peut voir le FC Tokyo à l'Ajinomoto Stadium (T 04 24 40 05 55), à Chofu. Enfin, si vous voulez vous relaxer, Herbes (6-2-2 Minamiaoyama Homes 501, Minato-ku, T 03 34 99 54 68, www.herbes.co.jp) vous attend pour vous plonger dans un bain d'algues avant un massage d'une durée de 100 minutes.

Pour les adresses, voir les Informations pratiques.

Azabu Juban Onsen

Si vous n'avez pas le temps d'aller vous tremper dans une source chaude à la campagne, sachez qu'il en existe au centre de Tokyo. Les bains à l'ancienne d'Azabu Juban Onsen sont alimentés par une eau riche en minéraux puisée à 500 m de profondeur, que l'on dit souveraine contre une quantité d'affections. On y trouve des bassins non mixtes au carrelage luisant de propreté, un sauna et un salon de relaxation aux tatamis très appréciés (ci-dessus). Un peu d'étiquette japonaise : on se douche jusqu'aux genoux avant le bain, où l'on entre sans savon ni maillot de bain. Le dimanche après-midi, les visiteurs ont généralement droit à un spectacle de chants traditionnels.
1-5-22 Azabu Juban, Minato-ku,
T 03 34 04 26 10

Tokyo Golf Club
Les membres de ce club, fondé en 1913,
l'ont doté pour son 50ᵉ anniversaire
d'un nouveau club-house (ci-dessous),
œuvre de l'architecte tchèque Antonin
Raymond. Ce club parfaitement tenu est
strictement réservé à ses 580 membres.
À moins que l'un d'eux ne vous honore
d'une lettre de recommandation.
*Sayama, préfecture de Saitama,
T 04 29 53 91 11*

Adam & Eve

Vous aimez les massages, les carillons
éoliens et les huiles parfumées ? Ce spa
à l'esthétique de paquebot faisant face
à l'ambassade de Chine est fait pour vous.
Très sérieuse maison de bains coréenne
non mixte et ouverte 24 h sur 24, Adam
& Eve a ses inconditionnels. De robustes
masseuses en petite tenue (plutôt du
genre catcheuses que top models) vous
retireront au gant de crin d'effrayantes
quantités de peaux mortes avant de vous
plonger dans l'eau glacée. (Gare au contact
visuel avec les habitués, presque tous
couverts de tatouages et adeptes de
la coupe hirsute.) Une fois à point, vous
ferez trempette dans un bain chaud et
en ressortirez la peau luisante et douce
comme celle d'un bébé (ou peut-être à
vif). Vous aurez alors mérité un cocktail
à Roppongi Hills, bien plus attrayant.
3-5-5 Nishi Azabu, Minato-ku,
T 03 54 74 44 55

Tokyo Dome
Quand il n'accueille pas des concerts, ce
terrain de base-ball, fief des redoutables
Yomiuri Giants, se peuple à chaque match
d'animaux en peluche et de vigoureuses
serveuses portant un tonneau de bière
sur le dos. Le complexe attenant abrite
un hôtel, un parc d'attractions et des
bains, toujours bondés.
Suidobashi 1-3, Koraku, Bunyo-ku,
T 03 58 00 99 99, www.tokyo-dome.co.jp

ESCAPADES

QUE VOIR EN DEHORS DE LA VILLE

On peut traverser le Japon d'un bout à l'autre en train à grande vitesse, mais les Japonais, pour qui voyager en *shinkansen* est banal, aspirent à moins de précipitation pour leurs loisirs. Ils préfèrent prendre le Cassiopeia (ci-contre), un train-couchettes au prix justifié par les 17 heures qu'il met à parcourir les 1 200 km séparant Tokyo de Sapporo, sur l'île d'Hokkaido. Le même trajet par avion prend 90 minutes et coûte moitié prix, mais c'est une façon absurdement civilisée de se rendre sur les pistes de Niseko (voir p 098-099 ; www.niseko.ne.jp), à deux heures de Sapporo.

Si ce n'est pas la saison du ski, ou si vous recherchez un bon antidote à l'agitation de la grande ville, le Japon ne manque pas de lieux de pèlerinage. Notre préféré est l'île d'une beauté saisissante de Naoshima, dans la mer de Seto. Ce n'est pas, il faut le dire, l'endroit le plus facile où se rendre depuis Tokyo : cela prend 6 heures entre le *shinkansen* et le ferry. Mais lorsque Tadao Ando y a élevé un musée d'art contemporain, la Benesse House (Gotanji Naoshima, Kagawa, T 08 78 92 20 30), l'île a gagné sa place sur la carte culturelle du monde. En 2004, Ando l'a dotée d'un second musée (voir p 100). Vous pouvez aussi vous joindre aux Tokyoïtes qui vont en week-end à Hakone, où il faut absolument résider au Prince Hotel (voir p 102), une réalisation architecturale emblématique des années 1970 au bord d'un lac magnifique.
Pour les adresses, voir les Informations pratiques.

Le Cassiopeia

Ce train de 12 voitures, qui circule trois fois par semaine entre la gare d'Ueno, à Tokyo, et Sapporo, à Hokkaido, compte 86 couchettes, toutes en première classe. Conçues pour deux personnes, elles se répartissent entre chambres doubles et suites, toutes avec télévision, mini-placard, toilettes… et les indispensables mules et peignoirs *yukata*. On vous sert de fabuleux repas français ou japonais dans votre cabine ou au wagon-restaurant, et le bar est très animé après le dîner. La décoration japonaise est minimale mais luxueuse, et ce train est le plus propre du monde. Réserver la suite qui se trouve en queue de la voiture 1 ; elle bénéficie d'une fenêtre panoramique. Il n'existe pas de meilleur moyen pour aller skier ou faire de la randonnée à Hokkaido (voir p 098-099). *www.jreast.co.jp*

Niseko et le mont Annupuri

Chichu Art Museum

Situé sur la côte sud de l'île de Naoshima, dans la mer de Seto, ce musée enterré dans un cap ne fait qu'affleurer au niveau du sol de façon à ne pas perturber la beauté naturelle du site, proche d'un parc national. Quoique limitée à huit œuvres de James Turrell, Walter de Maria et Claude Monet (une salle est dédiée aux *Nymphéas*), la collection produit un effet saisissant. Les couloirs de béton qui fendent la colline jusqu'aux salles s'ouvrent ici ou là sur le ciel et les éléments, qui participent largement à la visite. Le tout évoquerait un peu les décors de Ken Adam pour les films de James Bond.

3449-1 Naoshima, Kagawa,
T 08 78 92 37 55, www.chichu.jp

Prince Hotel d'Hakone
Œuvre du regretté Togo Murano, cet
exemple d'architecture des années 1970
resté intact s'élève au bord du lac Ashi,
à moins de deux heures de la capitale.
Hakone est apprécié pour sa fraîcheur en
été, ses sources chaudes et ses paysages
naturels dominés par le Fuji-Yama. Afin
de respecter le lac et le parc national où
il allait construire, l'architecte numérota
chaque arbre pour les replanter à la fin
du chantier. La fréquentation est assez
mélangée (couples de curistes entre deux
âges, mariages, qui constituent le gros
de la clientèle hôtelière au Japon, familles
de vacanciers avec enfants, parents et
grands-parents), mais l'hôtel est resté
tel que l'architecte l'a voulu, sans
modernisations ni gadgets superflus.
144 Moto-hakone,
Hakone-machi, Ashigarashimo-gun,
Kanagawa, T 04 60 3 11 11,
www.princehotels.co.jp

Cher lecteur, les livres Phaidon sont mondialement réputés pour leur beauté, leur érudition et leur élégance. Pour connaître nos nouveautés, il vous suffit de nous retourner cette carte en inscrivant vos nom et adresse. Vous pouvez aussi consulter notre liste complète de livres, vidéos et produits dérivés en vous connectant sur le site **www.phaidon.com**.

Centres d'intérêt

☐ Documents   ☐ Art   ☐ Photographie   ☐ Architecture   ☐ Design

☐ Mode   ☐ Musique   ☐ Jeunesse   ☐ Cuisine   ☐ Voyage

Prénom/Nom	M./Mme/Mlle ⎵⎵⎵⎵⎵⎵⎵⎵⎵⎵⎵⎵⎵⎵⎵⎵⎵
Activité *	⎵⎵⎵⎵⎵⎵⎵⎵⎵⎵⎵⎵⎵⎵⎵⎵⎵
N°/Rue	⎵⎵⎵⎵⎵⎵⎵⎵⎵⎵⎵⎵⎵⎵⎵⎵⎵
Ville	⎵⎵⎵⎵⎵⎵⎵⎵⎵⎵⎵⎵⎵⎵⎵⎵⎵
Code postal	⎵⎵⎵⎵⎵⎵ Pays ⎵⎵⎵⎵⎵⎵⎵⎵⎵⎵⎵
E-Mail	⎵⎵⎵⎵⎵⎵⎵⎵⎵⎵⎵⎵⎵⎵⎵⎵⎵

* Pour les enseignants, merci de préciser la matière enseignée.
Inscrivez-vous en ligne pour recevoir nos e-newsletters.

PHAIDON

2, rue de la Roquette

75011 Paris

France

NOTES
CROQUIS ET MÉMOS

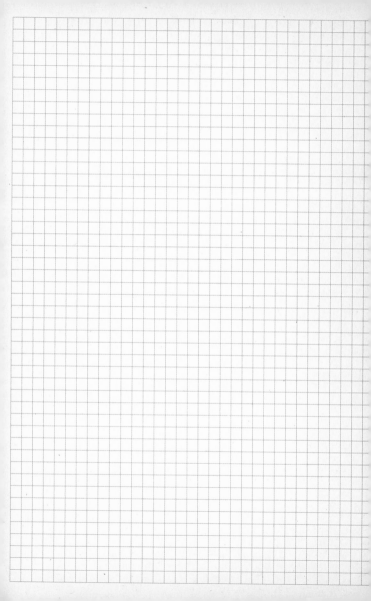

INFORMATIONS PRATIQUES

ADRESSES ET PRIX DES CHAMBRES

INTRODUCTION
Siège des brasseries Asahi
1-23-1 Azumabashi
Sumida-ku
T 03 56 08 53 81
Mingeikan Folk Crafts Museum
4-3-33 Komaba
Meguro-ku
T 03 34 67 45 27
www.mingeikan.or.jp

POINTS DE REPÈRE
010 Mairie de Tokyo
2-8-1 Nishishinju-ku
Shinjuku-ku
012 Mori Tower
6-10-1 Roppongi Hills
Minato-ku
www.roppongihills.com
013 Tod's Omotesando Building
5-1-15 Jingumae
Shibuya-ku
T 03 37 97 23 70
014 Caretta Shiodome
1-8-1 Higashi-Shimbashi
Minato-ku
T 03 62 16 51 11
www.dentsu.com

HÔTELS
016 New Otani
Tarifs:
chambres, 41 988 ¥
4-1 Kioi-cho
Chiyoda-ku
T 03 32 65 11 11
www.newotani.co.jp

016 Imperial Hotel
Tarifs:
chambres, 39 000 ¥
1-1 Uchisaiwai-cho 1-chome
Chiyoda-ku
T 03 35 04 11 11
www.imperialhotel.co.jp
016 The Yamanoue
Tarifs:
chambres, 27 920 ¥
1-1 Surugadai Kanda
Chiyoda-ku
T 03 32 93 23 11
www.yamanoue-hotel.co.jp
017 Claska
Tarifs:
chambres, 18 000 ¥;
chambre 402, 84 000 ¥
1-3-18 Chuo-cho
Meguro-ku
T 03 37 19 81 21
www.claska.com
017 DogMan
Hôtel Claska
1-3-18 Chuo-cho
Meguro-ku
T 03 37 13 96 96
www.dogman-tokyo.com
017 Essence
Hôtel Claska
1-3-18 Chuo-cho
Meguro-ku
T 03 57 73 86 20

020 Conrad Tokyo
Tarifs:
chambres, 50 000 ¥;
chambre sur jardin,
53 000 ¥
1-9-1 Higashi-Shinbashi
Minato-ku
T 03 63 88 80 00
www.conradtokyo.co.jp
021 Yoshimizu
Tarifs:
chambres, 23 300 ¥
3-11-3 Ginza, Chuo-ku
T 03 32 48 44 32
www.yoshimizu.com
022 Hotel Okura Tokyo
Tarifs:
chambres, 35 000 ¥;
suite présidentielle,
380 000 ¥;
suite impériale, 550 000 ¥
2-10-4 Toranomon
Minato-ku
T 03 35 82 01 11
www.okura.com/tokyo
024 Park Hyatt Tokyo
Tarifs:
chambres, 53 000 ¥;
Park View King Room,
66 000 ¥
3-7-1-2 Nishi-Shinjuku
Shinjuku-ku
T 03 53 22 12 34
http://tokyo.park.hyatt.com
025 Mitsui Garden Hotel Ginza
Tarifs:
chambres, 22 250 ¥
8-13-1 Ginza
Chuo-ku
T 03 35 43 11 31
www.gardenhotels.co.jp

026 Four Seasons Marunouchi
Tarifs :
chambres, 60 000 ¥ ;
suite à une chambre,
150 000 ¥
Pacific Century Place
1-11-1 Marunouchi
Chiyoda-ku
T 03 52 22 72 22
www.fourseasons.com/
marunouchi

028 Mandarin Oriental
Tarifs :
chambres, 62 000 ¥
2-1-1 Nihonbashi-
Muromachi
Chuo-ku
T 03 32 70 88 00
www.mandarinoriental.
com/tokyo

029 Grand Hyatt Tokyo
Tarifs :
chambres, 53 000 ¥ ;
suite présidentielle,
550 000 ¥
6-10-3 Roppongi Hills
Minato-ku
T 03 43 33 12 34
www.grandhyatt
tokyo.com

032 New York Grill & Bar
Park Hyatt Tokyo
52ᵉ étage
3-7-1-2 Nishi-Shinjuku
Shinjuku-ku
T 03 53 22 12 34
http://tokyo.park.hyatt.com

24 HEURES
033 Spa du Mandarin Oriental
2-1-1 Nihonbashi-
Muromachi
Chuo-ku
T 03 32 70 88 00
www.mandarinoriental.
com/tokyo

034 Acme
1-1-4 Takaban
Meguro-ku
T 03 57 21 84 56
www.acme.co.jp

034 Carlife
1-17-1 Aobadai
Meguro-ku
T 03 57 84 09 32

034 Fusion Interiors
T 03 37 10 50 99
www.fusion-interiors.com

034 Higashiya
1-13-12 Aobadai
Meguro-ku
T 03 57 20 13 00
www.higashiya.com

034 Meister
4-11-4 Meguro
Meguro-ku
T 03 37 16 27 67
www.meister-mag.co.jp

036 Maisen
4-8-5 Jingumae
Shibuya-ku
T 03 34 70 00 71

037 Galerie des Trésors du Horyu-ji
13-9 Ueno-koen
Taito-ku
T 03 38 22 11 11
www.tnm.go.jp

038 Higashi-yama Tokyo
1-2-25 Higashiyama
Meguro-ku
T 03 57 20 13 00
www.simplicity.co.jp

SORTIES
040 Ageha
2-2-10 Shinkiba
Koto-ku
T 03 55 34 25 25
www.ageha.com

040 Blue Note
Raika Building
6-3-16 Minamiaoyama
Minato-ku
T 03 54 85 00 88
www.bluenote.co.jp

041 Restaurant Tanga
Wakabayashi Building
2-8-5 Akasaka
Minato-ku
T 03 55 75 66 68

042 Rakusho Kushu Maru
Aoyama KP Building
1ᵉʳ étage B
5-30-8 Jingumae
Shibuya-ku
T 03 64 18 55 72

044 Waketokuyama
5-1-5 Minami-Azabu
T 03 57 89 38 38

045 Wired
Mitsui Tower, 2ᵉ étage
Nihonbashi-Muromachi
Chuo-ku
T 03 32 31 57 66
www.cafecompany.co.jp
046 Beige
Ginza Chanel Building
10ᵉ étage
3-5-3 Ginza
Chuo-ku
T 03 51 59 55 00
www.beige-tokyo.com
048 X + Y
Yoshikawa Building
4ᵉ étage
1-4-11 Ebisu-nishi
Shibuya-ku
T 03 54 89 00 95
050 Kurage
1-19-8 Jin'nan
Shibuya-ku
051 Toraya Café
6-12-2 Roppongi
Keyakizaka-Dori
Roppongi Hills
T 03 57 86 98 11
052 The Lobby
Hôtel Claska
1-3-18 Chuo-cho
Meguro-ku
T 03 57 73 86 20
www.claska.com
054 Adan
5-9-15 Mita
Mita
T 03 54 44 45 07

054 Las Meninas
3-22-7 Koenji Kita
2ᵉ étage
Suginami-ku
T 03 33 38 02 66
054 Montoak
6-1-9 Jingumae
Shibuya-ku
T 03 54 68 59 28
054 Orchid Bar
Hotel Okura Tokyo
2-10-4 Toranomon
Minato-ku
T 03 35 82 01 11
www.okura.com/tokyo
054 Red Bar
1-12-22 Shibuya
Shibuya-ku

ARCHITOUR
056 Edo-Tokyo Open Air
Architectural Museum
3-7-1 Sakura-cho
Koganei
T 04 23 88 33 00
057 Tokyo
International Forum
3-5-1 Marunouchi 3-chome
Chiyoda-ku
T 03 52 21 90 00
058 Dior
5-9-2 Jingumae
Shibuya-ku
T 03 54 64 62 63
www.dior.com
059 Cathédrale
Sainte-Marie
3-16-5 Sekiguchi
Bunkyo-ku

062 Bunka Kaikan
5-45 Ueno-koen
Taito-ku
T 03 38 28 21 11
063 Stade national
de Yoyogi
2-1-1 Jin'nan
Shibuya-ku
064 Tour olympique
du parc de Komazawa
1-1 Komazawa-koen
Setagaya-ku
066 L'Œil de Shinjuku
Gare de Shinjuku
Shinjuku-ku
068 Baisoin Temple
2-24-8 Minamiaoyama
Minato-ku
069 Prada Aoyama
5-2-6 Minamiaoyama
Minato-ku
T 03 64 18 04 00
www.prada.com
070 National Museum
of Western Art
7-7 Ueno-koen
Taito-ku
T 03 38 28 51 31
www.nmwa.go.jp

SHOPPING
072 Beams House
Marunouchi Building
2-4-1 Marunouchi
Chiyoda-ku
T 03 52 20 86 86
www.beams.co.jp

072 Bonjour Records
24-1 Sarugaku-cho
Shibuya-ku
T 03 54 58 60 20
www.bonjour.co.jp

072 Hacknet
1-30-10 Ebisu-nishi
1er étage
Shibuya-ku
T 03 57 28 66 11
www.hacknet.tv

072 Kurachika Yoshida
5-6-8 Jingumae
Shibuya-ku
T 03 54 64 17 66
www.yoshidakaban.com

072 Marks & Web
Marunouchi Building
2-4-1 Marunouchi
Chiyoda-ku
Marunouchi
T 03 52 20 55 61

072 Mitsukoshi
4-6-16 Ginza
Chuo-ku
T 03 55 62 11 11
www.mitsukoshi.co.jp

072 Tokyo Union Church
Sur Omotesando

073 Hhstyle.com/casa
6-14-5 Jingumae
Shibuya-ku
T 03 34 00 88 21
www.hhstyle.com

076 D&Department
8-3-2 Okusawa
Setagaya-ku
T 03 57 52 01 20
www.d-department.jp

077 Omotesando Hills
4-12-10 Jingumae
Shibuya-ku
www.omotesando hills.com

077 Bottega Veneta
Omotesando Hills
West Wing
1er étage, W103
4-12-10 Jingumae
Shibuya-ku
T 03 57 85 05 11
ww.bottegaveneta.com

077 Delfonics
Omotesando Hills
Main Building
3e étage B, MB315
4-12-10 Jingumae
Shibuya-ku
T 03 54 10 05 90

077 Hasegawa Saké Shop
Omotesando Hills
Main Building
3e étage B, M303
4-12-10 Jingumae
Shibuya-ku
T 03 57 85 08 33

077 Toraya Café
Omotesando Hills
Main Building
1er étage, MB112
4-12-10 Jingumae
Shibuya-ku
T 03 57 85 05 33
www.toraya-cafe.co.jp

077 Yves Saint Laurent
Omotesando Hills
Main Building
1er étage, M104
4-12-10 Jingumae
Shibuya-ku
T 03 57 85 07 50
www.ysl.com

078 Amadana
Omotesando Hills
Main Building
3e étage B, MB316
4-12-10 Jingumae
Shibuya-ku
T 03 34 08 20 18
www.amadana.com

079 Tendo Ply
4-35-7 Fuka Sawa
2e étage
Setagaya-ku
T 03 57 58 71 11
www.tendo.ne.jp

080 Cow Books
1-14-11 Aobadai
Meguro-ku
T 03 54 59 17 47
3-13-14 Minamiaoyama
Minato-ku
T 03 34 97 09 07
www.cowbooks.jp

082 Loopwheeler
Yamana Building
1er étage B
3-51-3 Sendagaya
Shibuya-ku
T 03 54 14 23 50

084 Ito-ya
2-7-15 Ginza, Chuo-ku
T 03 35 61 83 11
www.ito-ya.co.jp

085 **Bapexclusive**
5-5-8 Minamiaoyama
Minato-ku
T 03 57 72 25 24
www.bape.com

SPORTS ET SPAS
088 **Kokugikan**
1-3-28 Yokoami
Sumida-ku
T 03 36 23 51 11
www.sumo.or.jp
088 **Ajinomoto Stadium**
T 04 24 40 05 55
088 **Herbes**
6-2-2 Minamiaoyama
Homes 501
Minato-ku
T 03 34 99 54 68
www.herbes.co.jp
089 **Azabu Juban Onsen**
1-5-22 Azabu Juban
Minato-ku
T 03 34 04 26 10
090 **Tokyo Golf Club**
Sayama
Préfecture de Saitama
T 04 29 53 91 11
092 **Adam & Eve**
3-5-5 Nishi Azabu
Minato-ku
T 03 54 74 44 55
094 **Tokyo Dome**
Suidobashi 1-3
Koraku
Bunkyo-ku
T 03 58 00 99 99
www.tokyo-dome.co.jp

ESCAPADES
096 **Benesse House**
Gotanji Naoshima
Kagawa
T 08 78 92 20 30
100 **Chichu Art Museum**
3449-1 Naoshima
Kagawa
T 08 78 92 37 55
www.chichu.jp
102 **Prince Hotel**
d'Hakone
144 Moto-hakone
Hakone-machi
Ashigarashimo-gun
Kanagawa
T 04 60 3 11 11
www.princehotels.co.jp

WALLPAPER* CITY GUIDES

Directeur éditorial
Richard Cook

Directeur artistique
Loran Stosskopf
Auteur du guide
Fiona Wilson
**Responsable
de la fabrication**
Rachael Moloney
Éditeur adjoint
Jeroen Bergmans
Coauteur
Gordon Kanki Knight
Responsable financier
Jessica Firmin

Graphiste senior
Ben Blossom
Graphistes
Dominic Bell
Sara Martin
Cartographe
Russell Bell

**Responsable de
la photographie**
Christopher Lands
**Assistante de
la photographie**
Jasmine Labeau

**Secrétaires d'édition
assistants**
Emily Mathieson
Clive Morris
Paul Sentobe
Assistantes d'édition
Milly Nolan
Olivia Salazar-Winspear

Groupe Wallpaper*
Responsable éditorial
Jeremy Langmead
Directeur de création
Tony Chambers
**Directrice
de la publication**
Fiona Dent

Remerciements
Paul Barnes
David McKendrick
Meirion Pritchard
James Reid

PHAIDON

2, rue de la Roquette
75011 Paris

www.phaidon.com

Première édition
française 2007
© 2007 Phaidon Press
Limited

ISBN 978 0 7148 9701 1
Dépôt légal mars 2007

Tous droits réservés.
Aucune partie de cette
édition ne peut être
reproduite, stockée
ou diffusée sous quelque
forme que ce soit,
électronique, mécanique,
photocopie, enregistrement,
sans l'autorisation de
Phaidon Press Limited.

Tous les prix indiqués sont
valables au moment de
l'impression mais sont
susceptibles d'être modifiés.

Traduit de l'anglais par
Marc Phéline
Réalisation : Bookmaker,
Paris
Imprimé en Chine

PHOTOGRAPHES

Sue Barr, View
Galerie des Trésors
du Horyu-ji, p 037

Mitsumasa Fujitsuka
Baisoin Temple, p 068
Chichu Art Museum,
p 100-101

Shinichi Ito
Yoshimizu, p 021
Maisen, p 036
Higashi-yama Tokyo,
p 038-039
Rakusho Kushu Maru,
p 042-043
X + Y, p 048-049
Bunka Kaikan, p 062
Tour olympique du parc
de Komazawa, p 064-065
L'Œil de Shinjuku,
p 066-067
Tendo Ply, p 079
Cow Books, p 080-081
Azabu Juban Onsen, p 089
Tokyo Golf Club,
p 090-091
Adam & Eve, p 092-093
Le Cassiopeia, p 097
Prince Hotel d'Hakone,
p 102-103

Satoshi Minakawa
Vue de Tokyo,
rabat intérieur
Mairie de Tokyo, p 010-011
Mori Tower, p 012
Claska, p 017, 018-019
Hotel Okura Tokyo,
p 022-023
Acme, p 034-035
Waketokuyama, p 044
Toraya Café, p 051
The Lobby, p 052-053
Tokyo International
Forum, p 057
Dior, p 058
Cathédrale Sainte-Marie,
p 059
Roppongi Hills, p 060-061
Stade national de Yoyogi,
p 063
Prada Aoyama, p 069
National Museum of
Western Art, p 070-071
Ito-ya, p 084

Philippe Ruault
Caretta Shiodome,
p 014-015

Edmund Sumner, Artur
Tod's Omotesando
Building, p 013

Kozo Takayama
Restaurant Tanga, p 041
Loopwheeler, p 082-083
Bapexclusive, p 085,
086-087

Joel Tettamanti
Niseko et le mont
Annupuri, p 098-099

TOKYO
CODE COULEUR DES QUARTIERS INCONTOURNABLES

ASAKUSA
Ancienne et fière de l'être, cette partie de Shitamachi n'est que temples et ruelles

EBISU ET MEGURO
De vieux quartiers commerçants dont les rues ombragées abritent de plus en plus de cafés

GINZA
Shopping moderne ou à l'ancienne à l'ombre des plus belles tours de Shiodome

AOYAMA ET HARAJUKU
Le royaume du design et le record du monde de salons de coiffure au mètre carré. Le rêve !

SHIBUYA
Le domaine des ados et des écrans vidéo, les plus grands passages cloutés du monde

SHINJUKU
Tous les attraits de Tokyo sans faire trop de kilomètres

MARUNOUCHI ET NIHONBASHI
Voisins de la gare centrale, ces quartiers d'affaires sont devenus le paradis du shopping

UENO
Des quantités de musées, le parc le plus attrayant et quelques étranges marchés aux puces

Pour plus de détails sur chacun des quartiers et
sur les lieux à ne surtout pas manquer, voir l'Introduction